Ursula Fuchs

Tobias und Ines
unterm Regenschirm

Mit Bildern von Bernhard Oberdieck

Deutscher Taschenbuch Verlag

Dieser Band erschien erstmals 1985 unter der Nr. 7529 als
Schreibschriftausgabe bei dtv junior (inzwischen vergriffen)

Von Ursula Fuchs ist außerdem bei dtv junior lieferbar:
Emma oder Die unruhige Zeit, dtv pocket 7837

Originalausgabe
1. Auflage April 1990
© 1985 Deutscher Taschenbuchverlag GmbH & Co. KG, München
Umschlaggestaltung: Celestino Piatti
Umschlagbild: Bernhard Oberdieck
Gesetzt aus der Garamond 17/20·
Gesamtherstellung: Kösel, Kempten
Printed in Germany · ISBN 3-423-75002-2
1 2 3 4 5 6 · 95 94 93 92 91 90

Frau Käfer schnippelt
am besten

Es ist Samstag.
Tobias hockt in seinem Zimmer
auf dem bunten Fleckenteppich.

Er schnippelt kleine Autos
aus Zeitungspapier.
Tobias ist froh,
daß heute Samstag ist.
Da hat er keine Schule.
In der Wohnung brummt
der Staubsauger. Mutter stößt
die Kinderzimmertür auf.
Sie will das Zimmer putzen.
Sieht die vielen kleinen
Schnippel.
Wischt sich eine Haarsträhne
aus dem Gesicht.
»Mußt du unbedingt soviel
Dreck machen?
Du weißt doch,
daß heute nachmittag
Frau Käfer kommt.«

Frau Käfer arbeitet
mit Mutter im Büro.
Tobias kann sie nicht leiden.
Vater auch nicht.
Darum geht er am Nachmittag
zum Handball.
Tobias schnippelt eine Schlange
für Frau Käfer.
Die Schlange ist giftig.

Die soll Frau Käfer beißen.
Vater sagt, daß Tobias
die Schnippel-Leidenschaft hat.

Überall in der Wohnung hängen
seine Kunstwerke.
An den Fenstern, den Türen,
an den Wänden.
Als Tobias die Schlange
fertig hat, bringt er sie
ins Wohnzimmer.
Er will sie über den Kaffeetisch
hängen.
Neben das Herz, das er für Vater
geschnippelt hat.
Das Herz ist aber nicht mehr da.
Überhaupt, alle Schnippeleien
sind weg.
»Wo hast du meine Papierschnippel
hingetan?« brüllt Tobias.
Die Mutter kommt aus der Küche
gerannt.

»Reg dich nicht auf. Ich habe sie
alle im Karton aufbewahrt.«
Sie holt den Karton vom
Kleiderschrank.

»Warum hast du das getan?«
schreit Tobias. »Du findest
meine Kunstwerke doch
so schön?«
»Ja, natürlich«, sagt die Mutter,
»nur, ob Frau Käfer sie
auch schön findet?«
»Deine Frau Käfer ist ganz doof.
Ich will überhaupt nicht,
daß sie kommt.«
»Weißt du was«,
sagt die Mutter, »du lädst dir
für den Nachmittag
die Ines ein.
Und ich mir die Frau Käfer.«
»Ich will aber nicht!«
Tobias wirft sich
auf sein Bett.

Als Frau Käfer dann
am Nachmittag kommt,
ist Ines schon bei Tobias.
»Hier ist Kuchen für euch«,
ruft Mutter aus dem
Wohnzimmer.
»Ich will keinen«, ruft Tobias.
Aber Ines will.

Mutter hat für Frau Käfer
zwei Stück Käsesahnetorte besorgt.
Das ist nämlich ihre
Lieblingstorte.
Für Ines und Tobias
hat Mutter Bienenstich
und Kräppel gekauft.
Tobias will keine Kräppel
und keinen Bienenstich.
Wenn, dann will er nur
Käsesahnetorte.
»Die magst du doch gar nicht«,
sagt Mutter.
»Heute mag ich sie aber wohl«,
sagt Tobias.
Und besteht auf seiner Torte.
Mutter wird rot bis zu ihren
braunen Haaren.

Frau Käfer lacht. Tobias kann gern
die Käsesahnetorte essen.
Ihr reicht ein Stück.
Sie ist dick genug und kann sich

höchstens noch einen Streifen
von dem Streuselkuchen leisten.
Im Kinderzimmer muß Ines
die Käsesahnetorte essen.
Tobias mag sie wirklich nicht.
Ihm wird kotzschlecht davon.
Er schnippelt einen Kaktus.
Dick und rund und mit
spitzen Stacheln.
Den schenkt er Frau Käfer.
Frau Käfer freut sich.

Und fragt, ob sie den Kaktus
behalten darf.
»Ich habe noch mehr Schnippeleien«,
sagt Tobias.
Er holt den Karton vom
Kleiderschrank.
Frau Käfer sagt, daß Tobias
toll schnippeln kann.
Und sie möchte es auch mal
versuchen.
Tobias holt die kleine silberne
Schere und Zeitungspapier.

Frau Käfer schnippelt einen
Löwen,

einen Regenwurm,

einen Pinguin

und einen kleinen, niedlichen
Käfer.

Und am Abend, als sie
nach Hause geht,
verspricht sie Tobias,
bald wiederzukommen.
Dann will sie für den Löwen
einen Käfig,
für den Regenwurm
einen Regenschirm,
für den Pinguin
eine Eisscholle
und für den Käfer
eine Butterblume
schnippeln.

Unterm Regenschirm

Am Nachmittag regnet es.
Tobias freut sich. Er hüpft von
einer Pfütze in die andere.

Als er genug hat, läuft er
nach Hause.
Vor dem Haus sitzt Ines
auf der kleinen grauen Mauer.
Unter einem Regenschirm.
»Was machst du denn hier?«
fragt Tobias.
»Ich probiere meinen Schirm aus«,
sagt Ines. »Den hat mir mein
Papa geschenkt.«
Tobias fragt, ob er
mit ausprobieren darf.
Er darf.
Der Schirm ist rot
mit blauen Tupfen.
»Das ist aber ein sehr
lustiger Regenschirm«,
sagt Tobias.

Ines gefällt er auch.
Am besten gefällt ihr
das Eichhörnchen.
Die Krücke von dem Schirm
ist ein Eichhörnchen,
aus Holz.
»Ich kann Eichhörnchen
gut leiden«, sagt Ines.

»Ich auch«, sagt Tobias.
Aber er kennt jemanden,
den kann er noch besser leiden.
»So? Wen denn?«
Das verrät Tobias nicht.
Weil das sein Geheimnis ist.
»Verrätst du mir dein
Geheimnis?«
»Ne«, sagt Tobias.
Das verrät er nicht.
Nie verrät er das.
»Dann darfst du auch
nicht mehr meinen Schirm
ausprobieren.«
Ines rutscht von ihm weg.
Tobias bleibt erst sitzen.
Dann rutscht er hinter
Ines her.

Vielleicht, vielleicht,
sagt er es doch.
Also wen kann er gut leiden?
»Dich!« sagt Tobias.
Und tippt mit dem Zeigefinger
auf Ines.
»Mich?« fragt Ines.
»Ja!« Tobias nickt.

»Warum kannst du mich
gut leiden?« fragt Ines.
»Weil du so gut riechst,
nach Salz und nach Meer.«
Ines ist doch vor vier Jahren
aus Spanien gekommen.
Tobias hat im letzten Sommer
Ferien in Spanien gemacht.
Am Meer.
Bei den Möwen.
Das war sehr schön.
Immer, wenn Tobias
die Ines sieht,
denkt er ans Meer.
Ines fängt einen Regentropfen
mit der Hand auf.
Sagt, daß in Spanien jetzt
bestimmt die Sonne scheint.

»Fährst du in diesem Jahr
in den Ferien nach Spanien?«
fragt Tobias.
»Nein«, sagt Ines. »Wir haben
kein Geld.«
Wenn Ines will, kann sie
mit Tobias fahren.
»Mit dir?«
»Ja, ich fahre oft nach
Spanien.
Mit dem Schiff.«
Das baut Tobias sich
in seinem Zimmer
aus Matratzen.
Sie können gleich losfahren.
Das Schiff ist schon fertig.
Weil Tobias heute nachmittag
nach Madagaskar wollte.

Aber mit Ines fährt er natürlich
nach Spanien.
Ines hopst von der Mauer.
Rennt über die grauen Steinplatten
ins Nachbarhaus.
»Wo willst du denn hin?«
ruft Tobias ihr nach.
»Mutter fragen, ob ich mit dir
nach Spanien darf!«
Sie dreht sich um und lacht.

Rote Götterspeise

Tobias und Großvater sitzen
in der Küche am Tisch.
Sie haben gegessen.
Nudeln mit Pflaumenkompott.
Großvater wischt sich mit der
Serviette den Mund ab.

Er sagt, daß es noch Götterspeise
zum Nachtisch gibt.
Und er bittet Tobias,
sie mit der Vanillesoße
aus dem Eisschrank zu holen.
Tobias wischt sich auch
mit der Serviette
den Mund ab.
Verkündet, heute überhaupt
keinen Appetit auf Götterspeise
zu haben.
»Du willst heute keine?«
fragt Großvater. »Wo doch
Götterspeise deine allerliebste
Nachspeise ist?«
Er steht auf.
Geht zum Eisschrank und holt
die Glasschüssel heraus.

»Nanu«, wundert er sich.
»Da ist ja nur noch
ganz wenig drin.«

Tobias reckt den Kopf.
»Ja, tatsächlich.
Da ist ja wirklich
nur noch wenig drin.«
»Verstehst du das?«

Großvater stellt die Schüssel
auf den Tisch.
»Ne, das verstehe ich nicht!«
Tobias verschränkt die Arme
und zieht dabei die Schultern hoch.
Großvater grinst ein bißchen.

»Kann es wohl sein«, fragt er,
»kann es wohl sein, daß die
Götterspeise da drin ist?«

Er zeigt mitten auf Tobias' Bauch.
Tobias guckt seinen Bauch an.
Er überlegt.
Sagt, daß die Götterspeise
da nicht drin ist.
Und daß er das ja wohl
wissen müßte.

»Ja«, sagt Großvater, »das
müßtest du wohl wissen.«
Tobias fragt Großvater,
ob die Götterspeise vielleicht
in seinem Bauch ist.
Und ob Großvater vielleicht
vergessen hat,
daß er sie schon fast
aufgegessen hat.
»Nein«, sagt Großvater.
Er hat es ganz bestimmt nicht
vergessen.
»Vielleicht war ja auch
Besuch da.
Und vielleicht hat der
die Götterspeise gegessen«,
sagt Tobias.
Aber Besuch war nicht da.

Das weiß Großvater genau,
ganz genau.
Er schaut in die Schüssel
mit dem Rest roter Götterspeise.
Dann schiebt er die Schüssel
zu Tobias:
»Du kannst den Rest aufessen.«
»Nein, du!«
Tobias schiebt den Teller zurück.
»Ich mag aber keine rote
Götterspeise«,
sagt Großvater.
Von roter bekommt er
Kratzen im Hals.
Er mag nur grüne,
mit Waldmeistergeschmack.
»Du magst keine rote Götterspeise?«
fragt Tobias.

»Dann kann ich sie ja
wirklich essen.«
Er steht auf. Legt beide Arme
um Großvaters Hals.
»Du, ich muß dir was sagen.«

Tobias flüstert ihm etwas
ins Ohr.
Großvater hört still zu.
Dann lacht er übers
ganze Gesicht.
»Warum hast du das nicht
gleich gesagt,
daß du die Götterspeise
gegessen hast?«
sagt er dann.
»Ich wußte ja nicht . . .
ich wußte ja nicht,
daß du keine rote Götterspeise
magst«, sagt Tobias.

Hund ausgesetzt

»Tobias!« ruft die Mutter.
»Kannst du mal einkaufen gehen?«
Sie guckt aus dem Küchenfenster.

Im Garten haben Tobias und Ines
eben noch gespielt.
Jetzt sind sie verschwunden.
»Tobias, wo bist du denn?«

»Hier!« antwortet Tobias.
Das »hier« kommt aus dem
Kastanienbaum.
Der steht im Garten
auf der Wiese.
Wie Affen hängen Tobias
und Ines in den Ästen.
»Himmel!«
Mutter schlägt vor Schreck
die Hände über dem Kopf
zusammen.
»Kommt sofort da runter!«
Tobias will aber nicht.
Ines auch nicht.
Aber Mutter besteht darauf.
Es ist kurz vor sechs
und kein Brot
zum Abendessen da.

»Immer ich, immer muß ich
einkaufen«, beschwert sich Tobias.
Er klettert vom Baum.
Fällt in die Wiese.

»Komm, wir beeilen uns, dann
können wir gleich weiterklettern«,
sagt Ines. Sie beeilen sich.
Rennen durch die Klosterstraße
zur Bäckerei.
Einer rennt mit ihnen.

Ein Hund. Ein strubbeliger,
sandfarbener Hund.
Ines fragt Tobias,
ob er den Hund kennt.

Nein, er kennt ihn nicht.
Aber der Hund gefällt ihm.
Tobias kniet sich hin
und streichelt ihn.
Der Hund schiebt den Kopf
auf seine Knie.

Er hat graue Augen.
Ob der wohl ausgesetzt ist?
Ines stellt fest,
er hat kein Halsband an.
Vielleicht ist er weggelaufen.
Ausgerissen!
»Ich frage mal in der Bäckerei.
Die wissen vielleicht,
wo der Hund wohnt«,
sagt Tobias.
Ines bleibt draußen.
In der Bäckerei
ist der Hund
nicht bekannt.
Tobias kauft ein Brot.
Das ist weich,
riecht gut.
Der Hund schnüffelt.

Der hat bestimmt Hunger.
Tobias reißt ein Stück
von dem Brot ab.
Der Hund schnappt
und verschlingt es.
Dann stupst er Tobias mit seiner
nassen Schnauze am Bein.

Das mag Tobias.

Er mag den Hund und möchte
ihn behalten.

Das möchte Ines auch.

Nur, ihre Eltern
erlauben das nicht.

Das weiß Ines.

»Aber meine«, sagt Tobias.

Er nimmt den Hund
auf die Arme
und trägt ihn nach Hause.

Die Mutter krault ihn.

»Behalten kannst du ihn aber
nicht«, sagt sie.

»Weil die Wohnung zu klein ist.
Und weil es nicht erlaubt
ist im Haus.

Das steht sogar im Mietvertrag.«

Aber eine Schale mit Milch
und ein bißchen
Rindergehacktes,
das kann der Hund haben.«
Der Hund frißt und trinkt.
Dann legt er sich
in der Küche unter die Eckbank
und schnauft.

»Der Hund möchte sehr gerne
bei uns bleiben«,
sagt Tobias.
»Das geht nicht«, sagt Mutter
und fährt mit dem Hund
und Tobias und Ines
zur Polizeiwache in der
Fliederstraße.
»Das ist heute
der vierte Hund,
der hier abgegeben wird«,
sagt der Beamte.
»Was machen Sie denn
jetzt mit dem Hund?«
fragt Tobias.
Er streichelt ihn.
»Er kommt ins Tierheim«,
sagt der Beamte. »Bestimmt

ist er ausgesetzt worden.
Die großen Ferien
sind da.
Leute,
die ihren
Hund
nicht
mitnehmen
wollen,
setzen ihn
einfach
auf die
Straße.«
»Das ist
eine große
Gemeinheit«,
sagt
Tobias.

Sonntagabend klingelt es
bei Ines an der Tür.
Es klingelt laut und schnell.
Tobias steht vor der Tür.
Er sieht aufgeregt
und glücklich aus.
Ist er auch.
Er hat den Hund getroffen.
Im Park.
Eine Frau hatte ihn an der Leine.
»Hat der Hund dich wiedererkannt?«
fragt Ines.
Das weiß Tobias nicht genau.
Der Hund hat ihn
mit seiner nassen Nase
beschnuppert.
Tobias fragte die Frau,
wo sie den Hund denn her hat.

»Aus dem Tierheim«,
sagte sie. »Er ist ausgesetzt
worden.«
Und da erzählt Tobias ihr,
daß er und Ines den Hund
gefunden haben.